Diario de
Manifestación y
Gratitud

📱 _____

@ _____

✉️ _____

www. _____

_____ / _____ / _____

Gracias por su compra!
Si quiere contactarnos puede escribirnos a:
casavera.designstudio@gmail.com

Diario de Manifestación y Gratitud

Si compraste este cuaderno es porque ya has escuchado hablar de la Ley de la Atracción y de la Manifestación. Sin embargo, no esta de más que te recuerde que TODO lo que tu mente y tu subconsciente crea, es posible llevarlo al mundo físico y manifestarlo. Ya sea un nuevo trabajo, una pareja formal, un viaje, mejores ingresos, en fin, el límite es solo TU MENTE.

Si eres constante y paciente, es decir, si lo pides desde una mente tranquila y con la confianza de que va a pasar, entonces se cumplirá. También es importante que cuando lo pidas, pídelo desde el Amor y no desde la carencia o de la lástima, sino siempre pensándote llena(o) de Amor, de Gratitud por lo que ya tienes hoy e imaginándote lo feliz que estarías si ya tuvieras eso que estas por manifestar.

Te deseo mucha suerte en este camino de la manifestación y que se cumplan todos tus sueños!!

DIARIO DE
Gratitud

ME ESTOY ENFOCANDO EN:

☐ CORONA ☐ TERCER OJO ☐ PLEXO SOLAR ☐ SACRAL ☐ GARGANTA ☐ RAIZ ☐ CORAZON

Chakra

DOY GRACIAS POR:

AFIRMACIONES

Yo soy...

Yo soy...

Yo soy...

Yo soy...

Yo soy...

IDEAS

REFLEXIONES

ME SIENTO BENDECIDO(A) POR:

manifestar

[manifestar] verbo

[crear algo real a partir de tu imaginación, dejar y confiar en que el universo va a atraer todo lo que deseas.]

Planificador de MANIFESTACIÓN

ESTOY MANIFESTANDO

Visualizo...

MI FUTURO FINANCIERO

QUÉ QUIERO MANIFESTAR

QUÉ ME HARÍA FELIZ

RELACIONES PERSONALES

AFIRMACIONES

TÉCNICAS

3-6-9
Método de Manifestación

FECHA		AFIRMACIÓN	

ESCRIBE TU DECLARACIÓN DE LO QUE QUIERES LOGRAR Y REPÍTELA 3 VECES (MAÑANA)

1.
2.
3.

ESCRIBE TU INTENCIÓN AHORA 6 VECES (TARDE)

1.
2.
3.
4.
5.
6.

AHORA REPÍTELA 9 VECES (NOCHE)

1.
2.
3.
4.
5.
6.
7.
8.
9.

DIARIO DE
Gratitud

ME ESTOY ENFOCANDO EN:

☐ CORONA ☐ TERCER OJO ☐ PLEXO SOLAR ☐ SACRAL ☐ GARGANTA ☐ RAIZ ☐ CORAZON

Chakra

DOY GRACIAS POR:

AFIRMACIONES

Yo soy...

Yo soy...

Yo soy...

Yo soy...

Yo soy...

IDEAS

REFLEXIONES

ME SIENTO BENDECIDO(A) POR:

manifestar

[manifestar] verbo

[crear algo real a partir de tu imaginación, dejar y confiar en que el universo va a atraer todo lo que deseas.]

Planificador de
MANIFESTACIÓN

ESTOY MANIFESTANDO

Visualizo...

MI FUTURO FINANCIERO

QUÉ QUIERO MANIFESTAR

QUÉ ME HARÍA FELIZ

RELACIONES PERSONALES

AFIRMACIONES

TÉCNICAS

3-6-9
Método de Manifestación

FECHA		AFIRMACIÓN	

ESCRIBE TU DECLARACIÓN DE LO QUE QUIERES LOGRAR Y REPÍTELA 3 VECES (MAÑANA)

1

2

3

ESCRIBE TU INTENCIÓN AHORA 6 VECES (TARDE)

1

2

3

4

5

6

AHORA REPÍTELA 9 VECES (NOCHE)

1

2

3

4

5

6

7

8

9

DIARIO DE
Gratitud

ME ESTOY ENFOCANDO EN:

☐ CORONA ☐ TERCER OJO ☐ PLEXO SOLAR ☐ SACRAL ☐ GARGANTA ☐ RAIZ ☐ CORAZON

Chakra

DOY GRACIAS POR:

AFIRMACIONES

Yo soy...

Yo soy...

Yo soy...

Yo soy...

Yo soy...

IDEAS

REFLEXIONES

ME SIENTO BENDECIDO(A) POR:

manifestar

[manifestar] verbo

[crear algo real a partir de tu imaginación, dejar y confiar
en que el universo va a atraer todo lo que deseas.]

Planificador de MANIFESTACIÓN

ESTOY MANIFESTANDO

Visualizo...

MI FUTURO FINANCIERO

QUÉ QUIERO MANIFESTAR

QUÉ ME HARÍA FELIZ

RELACIONES PERSONALES

AFIRMACIONES

TÉCNICAS

3-6-9
Método de Manifestación

FECHA		AFIRMACIÓN	

ESCRIBE TU DECLARACIÓN DE LO QUE QUIERES LOGRAR Y REPÍTELA 3 VECES (MAÑANA)

1.
2.
3.

ESCRIBE TU INTENCIÓN AHORA 6 VECES (TARDE)

1.
2.
3.
4.
5.
6.

AHORA REPÍTELA 9 VECES (NOCHE)

1.
2.
3.
4.
5.
6.
7.
8.
9.

DIARIO DE
Gratitud

ME ESTOY ENFOCANDO EN:

☐ CORONA ☐ TERCER OJO ☐ PLEXO SOLAR ☐ SACRAL ☐ GARGANTA ☐ RAIZ ☐ CORAZON

Chakra

DOY GRACIAS POR:

AFIRMACIONES

Yo soy...

Yo soy...

Yo soy...

Yo soy...

Yo soy...

IDEAS

REFLEXIONES

ME SIENTO BENDECIDO(A) POR:

manifestar

[manifestar] verbo

[crear algo real a partir de tu imaginación, dejar y confiar en que el universo va a atraer todo lo que deseas.]

Planificador de
MANIFESTACIÓN

ESTOY MANIFESTANDO

Visualizo...

MI FUTURO FINANCIERO

QUÉ ME HARÍA FELIZ

RELACIONES PERSONALES

QUÉ QUIERO MANIFESTAR

AFIRMACIONES

TÉCNICAS

3-6-9
Método de Manifestación

FECHA		AFIRMACIÓN	

ESCRIBE TU DECLARACIÓN DE LO QUE QUIERES LOGRAR Y REPÍTELA 3 VECES (MAÑANA)

1
2
3

ESCRIBE TU INTENCIÓN AHORA 6 VECES (TARDE)

1
2
3
4
5
6

AHORA REPÍTELA 9 VECES (NOCHE)

1
2
3
4
5
6
7
8
9

DIARIO DE
Gratitud

ME ESTOY ENFOCANDO EN:

☐ CORONA ☐ TERCER OJO ☐ PLEXO SOLAR ☐ SACRAL ☐ GARGANTA ☐ RAIZ ☐ CORAZON

Chakra

DOY GRACIAS POR:

AFIRMACIONES

Yo soy...

Yo soy...

Yo soy...

Yo soy...

Yo soy...

IDEAS

REFLEXIONES

ME SIENTO BENDECIDO(A) POR:

manifestar

[manifestar] verbo

[crear algo real a partir de tu imaginación, dejar y confiar en que el universo va a atraer todo lo que deseas.]

Planificador de MANIFESTACIÓN

ESTOY MANIFESTANDO

Visualizo...

MI FUTURO FINANCIERO

QUÉ ME HARÍA FELIZ

RELACIONES PERSONALES

QUÉ QUIERO MANIFESTAR

AFIRMACIONES

TÉCNICAS

3-6-9
Método de Manifestación

FECHA		AFIRMACIÓN	

ESCRIBE TU DECLARACIÓN DE LO QUE QUIERES LOGRAR Y REPÍTELA 3 VECES (MAÑANA)

1.
2.
3.

ESCRIBE TU INTENCIÓN AHORA 6 VECES (TARDE)

1.
2.
3.
4.
5.
6.

AHORA REPÍTELA 9 VECES (NOCHE)

1.
2.
3.
4.
5.
6.
7.
8.
9.

DIARIO DE
Gratitud

☐ CORONA ☐ TERCER OJO ☐ PLEXO SOLAR ☐ SACRAL ☐ GARGANTA ☐ RAIZ ☐ CORAZON

Chakra

DOY GRACIAS POR:

AFIRMACIONES

Yo soy...

Yo soy...

Yo soy...

Yo soy...

Yo soy...

IDEAS

REFLEXIONES

ME SIENTO BENDECIDO(A) POR:

manifestar

[manifestar] verbo

[crear algo real a partir de tu imaginación, dejar y confiar en que el universo va a atraer todo lo que deseas.]

Planificador de
MANIFESTACIÓN

ESTOY MANIFESTANDO

Visualizo...

MI FUTURO FINANCIERO

QUÉ QUIERO MANIFESTAR

QUÉ ME HARÍA FELIZ

RELACIONES PERSONALES

AFIRMACIONES

TÉCNICAS

3-6-9
Método de Manifestación

FECHA		AFIRMACIÓN	

ESCRIBE TU DECLARACIÓN DE LO QUE QUIERES LOGRAR Y REPÍTELA 3 VECES (MAÑANA)

1

2

3

ESCRIBE TU INTENCIÓN AHORA 6 VECES (TARDE)

1

2

3

4

5

6

AHORA REPÍTELA 9 VECES (NOCHE)

1

2

3

4

5

6

7

8

9

DIARIO DE
Gratitud

ME ESTOY ENFOCANDO EN:

☐ CORONA ☐ TERCER OJO ☐ PLEXO SOLAR ☐ SACRAL ☐ GARGANTA ☐ RAIZ ☐ CORAZON

Chakra

DOY GRACIAS POR:

AFIRMACIONES

Yo soy...

Yo soy...

Yo soy...

Yo soy...

Yo soy...

IDEAS

REFLEXIONES

ME SIENTO BENDECIDO(A) POR:

manifestar

[manifestar] verbo

[crear algo real a partir de tu imaginación, dejar y confiar en que el universo va a atraer todo lo que deseas.]

Planificador de MANIFESTACIÓN

ESTOY MANIFESTANDO

Visualizo...

MI FUTURO FINANCIERO

QUÉ QUIERO MANIFESTAR

QUÉ ME HARÍA FELIZ

RELACIONES PERSONALES

AFIRMACIONES

TÉCNICAS

3-6-9
Método de Manifestación

FECHA		AFIRMACIÓN	

ESCRIBE TU DECLARACIÓN DE LO QUE QUIERES LOGRAR Y REPÍTELA 3 VECES (MAÑANA)

1.
2.
3.

ESCRIBE TU INTENCIÓN AHORA 6 VECES (TARDE)

1.
2.
3.
4.
5.
6.

AHORA REPÍTELA 9 VECES (NOCHE)

1.
2.
3.
4.
5.
6.
7.
8.
9.

DIARIO DE
Gratitud

ME ESTOY ENFOCANDO EN:

☐ CORONA ☐ TERCER OJO ☐ PLEXO SOLAR ☐ SACRAL ☐ GARGANTA ☐ RAIZ ☐ CORAZON

Chakra

DOY GRACIAS POR:

AFIRMACIONES

Yo soy...

Yo soy...

Yo soy...

Yo soy...

Yo soy...

IDEAS

REFLEXIONES

ME SIENTO BENDECIDO(A) POR:

manifestar

[manifestar] verbo

[crear algo real a partir de tu imaginación, dejar y confiar en que el universo va a atraer todo lo que deseas.]

Planificador de MANIFESTACIÓN

ESTOY MANIFESTANDO

Visualizo...

MI FUTURO FINANCIERO

QUÉ ME HARÍA FELIZ

RELACIONES PERSONALES

QUÉ QUIERO MANIFESTAR

AFIRMACIONES

TÉCNICAS

3-6-9
Método de Manifestación

FECHA		AFIRMACIÓN	

ESCRIBE TU DECLARACIÓN DE LO QUE QUIERES LOGRAR Y REPÍTELA 3 VECES (MAÑANA)

1.
2.
3.

ESCRIBE TU INTENCIÓN AHORA 6 VECES (TARDE)

1.
2.
3.
4.
5.
6.

AHORA REPÍTELA 9 VECES (NOCHE)

1.
2.
3.
4.
5.
6.
7.
8.
9.

DIARIO DE
Gratitud

ME ESTOY ENFOCANDO EN:

☐ CORONA ☐ TERCER OJO ☐ PLEXO SOLAR ☐ SACRAL ☐ GARGANTA ☐ RAIZ ☐ CORAZON

Chakra

DOY GRACIAS POR:

AFIRMACIONES

Yo soy...

Yo soy...

Yo soy...

Yo soy...

Yo soy...

IDEAS

REFLEXIONES

ME SIENTO BENDECIDO(A) POR:

manifestar

[manifestar] verbo

[crear algo real a partir de tu imaginación, dejar y confiar
en que el universo va a atraer todo lo que deseas.]

Planificador de
MANIFESTACIÓN

ESTOY MANIFESTANDO

Visualizo...

MI FUTURO FINANCIERO

QUÉ QUIERO MANIFESTAR

QUÉ ME HARÍA FELIZ

RELACIONES PERSONALES

AFIRMACIONES

TÉCNICAS

3-6-9
Método de Manifestación

FECHA		AFIRMACIÓN	

ESCRIBE TU DECLARACIÓN DE LO QUE QUIERES LOGRAR Y REPÍTELA 3 VECES (MAÑANA)

1.

2.

3.

ESCRIBE TU INTENCIÓN AHORA 6 VECES (TARDE)

1.

2.

3.

4.

5.

6.

AHORA REPÍTELA 9 VECES (NOCHE)

1.

2.

3.

4.

5.

6.

7.

8.

9.

DIARIO DE
Gratitud

ME ESTOY ENFOCANDO EN:

☐ CORONA ☐ TERCER OJO ☐ PLEXO SOLAR ☐ SACRAL ☐ GARGANTA ☐ RAIZ ☐ CORAZON

Chakra

DOY GRACIAS POR:

AFIRMACIONES

Yo soy...

Yo soy...

Yo soy...

Yo soy...

Yo soy...

IDEAS

REFLEXIONES

ME SIENTO BENDECIDO(A) POR:

manifestar
[manifestar] verbo
[crear algo real a partir de tu imaginación, dejar y confiar
en que el universo va a atraer todo lo que deseas.]

Planificador de
MANIFESTACIÓN

ESTOY MANIFESTANDO

Visualizo...

MI FUTURO FINANCIERO

QUÉ ME HARÍA FELIZ

RELACIONES PERSONALES

QUÉ QUIERO MANIFESTAR

AFIRMACIONES

TÉCNICAS

3-6-9
Método de Manifestación

FECHA		AFIRMACIÓN	

ESCRIBE TU DECLARACIÓN DE LO QUE QUIERES LOGRAR Y REPÍTELA 3 VECES (MAÑANA)

1.

2.

3.

ESCRIBE TU INTENCIÓN AHORA 6 VECES (TARDE)

1.

2.

3.

4.

5.

6.

AHORA REPÍTELA 9 VECES (NOCHE)

1.

2.

3.

4.

5.

6.

7.

8.

9.

DIARIO DE
Gratitud

ME ESTOY ENFOCANDO EN:

☐ CORONA ☐ TERCER OJO ☐ PLEXO SOLAR ☐ SACRAL ☐ GARGANTA ☐ RAIZ ☐ CORAZON

Chakra

DOY GRACIAS POR:

AFIRMACIONES

Yo soy...

Yo soy...

Yo soy...

Yo soy...

Yo soy...

IDEAS

REFLEXIONES

ME SIENTO BENDECIDO(A) POR:

manifestar

[manifestar] verbo

[crear algo real a partir de tu imaginación, dejar y confiar
en que el universo va a atraer todo lo que deseas.]

Planificador de
MANIFESTACIÓN

ESTOY MANIFESTANDO

Visualizo...

MI FUTURO FINANCIERO

QUÉ QUIERO MANIFESTAR

QUÉ ME HARÍA FELIZ

RELACIONES PERSONALES

AFIRMACIONES

TÉCNICAS

3-6-9
Método de Manifestación

FECHA		AFIRMACIÓN	

ESCRIBE TU DECLARACIÓN DE LO QUE QUIERES LOGRAR Y REPÍTELA 3 VECES (MAÑANA)

1
2
3

ESCRIBE TU INTENCIÓN AHORA 6 VECES (TARDE)

1
2
3
4
5
6

AHORA REPÍTELA 9 VECES (NOCHE)

1
2
3
4
5
6
7
8
9

DIARIO DE
Gratitud

ME ESTOY ENFOCANDO EN:

☐ CORONA ☐ TERCER OJO ☐ PLEXO SOLAR ☐ SACRAL ☐ GARGANTA ☐ RAIZ ☐ CORAZON

Chakra

DOY GRACIAS POR:

AFIRMACIONES

Yo soy...

Yo soy...

Yo soy...

Yo soy...

Yo soy...

IDEAS

REFLEXIONES

ME SIENTO BENDECIDO(A) POR:

manifestar

[manifestar] verbo

[crear algo real a partir de tu imaginación, dejar y confiar en que el universo va a atraer todo lo que deseas.]

Planificador de
MANIFESTACIÓN

ESTOY MANIFESTANDO

Visualizo...

MI FUTURO FINANCIERO

QUÉ ME HARÍA FELIZ

RELACIONES PERSONALES

QUÉ QUIERO MANIFESTAR

AFIRMACIONES

TÉCNICAS

3-6-9
Método de Manifestación

FECHA		AFIRMACIÓN	

ESCRIBE TU DECLARACIÓN DE LO QUE QUIERES LOGRAR Y REPÍTELA 3 VECES (MAÑANA)

1.
2.
3.

ESCRIBE TU INTENCIÓN AHORA 6 VECES (TARDE)

1.
2.
3.
4.
5.
6.

AHORA REPÍTELA 9 VECES (NOCHE)

1.
2.
3.
4.
5.
6.
7.
8.
9.

DIARIO DE
Gratitud

☐ CORONA ☐ TERCER OJO ☐ PLEXO SOLAR ☐ SACRAL ☐ GARGANTA ☐ RAIZ ☐ CORAZON

Chakra

DOY GRACIAS POR:

AFIRMACIONES

Yo soy...

Yo soy...

Yo soy...

Yo soy...

Yo soy...

IDEAS

REFLEXIONES

ME SIENTO BENDECIDO(A) POR:

manifestar

[manifestar] verbo

[crear algo real a partir de tu imaginación, dejar y confiar en que el universo va a atraer todo lo que deseas.]

Planificador de
MANIFESTACIÓN

ESTOY MANIFESTANDO

Visualizo...

MI FUTURO FINANCIERO

QUÉ ME HARÍA FELIZ

RELACIONES PERSONALES

QUÉ QUIERO MANIFESTAR

AFIRMACIONES

TÉCNICAS

3-6-9
Método de Manifestación

FECHA		AFIRMACIÓN	

ESCRIBE TU DECLARACIÓN DE LO QUE QUIERES LOGRAR Y REPÍTELA 3 VECES (MAÑANA)

1.
2.
3.

ESCRIBE TU INTENCIÓN AHORA 6 VECES (TARDE)

1.
2.
3.
4.
5.
6.

AHORA REPÍTELA 9 VECES (NOCHE)

1.
2.
3.
4.
5.
6.
7.
8.
9.

DIARIO DE
Gratitud

ME ESTOY ENFOCANDO EN:

☐ CORONA ☐ TERCER OJO ☐ PLEXO SOLAR ☐ SACRAL ☐ GARGANTA ☐ RAIZ ☐ CORAZON

Chakra

DOY GRACIAS POR:

AFIRMACIONES

Yo soy...

Yo soy...

Yo soy...

Yo soy...

Yo soy...

IDEAS

REFLEXIONES

ME SIENTO BENDECIDO(A) POR:

manifestar

[manifestar] verbo

[crear algo real a partir de tu imaginación, dejar y confiar en que el universo va a atraer todo lo que deseas.]

Planificador de
MANIFESTACIÓN

ESTOY MANIFESTANDO

Visualizo...

MI FUTURO FINANCIERO

QUÉ QUIERO MANIFESTAR

QUÉ ME HARÍA FELIZ

RELACIONES PERSONALES

AFIRMACIONES

TÉCNICAS

3-6-9
Método de Manifestación

FECHA		AFIRMACIÓN	

ESCRIBE TU DECLARACIÓN DE LO QUE QUIERES LOGRAR Y REPÍTELA 3 VECES (MAÑANA)

1.
2.
3.

ESCRIBE TU INTENCIÓN AHORA 6 VECES (TARDE)

1.
2.
3.
4.
5.
6.

AHORA REPÍTELA 9 VECES (NOCHE)

1.
2.
3.
4.
5.
6.
7.
8.
9.

DIARIO DE
Gratitud

☐ CORONA ☐ TERCER OJO ☐ PLEXO SOLAR ☐ SACRAL ☐ GARGANTA ☐ RAIZ ☐ CORAZON

Chakra

DOY GRACIAS POR:

AFIRMACIONES

Yo soy...

Yo soy...

Yo soy...

Yo soy...

Yo soy...

IDEAS

REFLEXIONES

ME SIENTO BENDECIDO(A) POR:

manifestar

[manifestar] verbo

[crear algo real a partir de tu imaginación, dejar y confiar en que el universo va a atraer todo lo que deseas.]

Planificador de
MANIFESTACIÓN

ESTOY MANIFESTANDO

Visualizo...

MI FUTURO FINANCIERO

QUÉ QUIERO MANIFESTAR

QUÉ ME HARÍA FELIZ

RELACIONES PERSONALES

AFIRMACIONES

TÉCNICAS

3-6-9

Método de Manifestación

FECHA		AFIRMACIÓN	

ESCRIBE TU DECLARACIÓN DE LO QUE QUIERES LOGRAR Y REPÍTELA 3 VECES (MAÑANA)

1.
2.
3.

ESCRIBE TU INTENCIÓN AHORA 6 VECES (TARDE)

1.
2.
3.
4.
5.
6.

AHORA REPÍTELA 9 VECES (NOCHE)

1.
2.
3.
4.
5.
6.
7.
8.
9.

DIARIO DE
Gratitud

ME ESTOY ENFOCANDO EN:

☐ CORONA ☐ TERCER OJO ☐ PLEXO SOLAR ☐ SACRAL ☐ GARGANTA ☐ RAIZ ☐ CORAZON

Chakra

DOY GRACIAS POR:

AFIRMACIONES

Yo soy...

Yo soy...

Yo soy...

Yo soy...

Yo soy...

IDEAS

REFLEXIONES

ME SIENTO BENDECIDO(A) POR:

manifestar

[manifestar] verbo

[crear algo real a partir de tu imaginación, dejar y confiar en que el universo va a atraer todo lo que deseas.]

Planificador de
MANIFESTACIÓN

ESTOY MANIFESTANDO

Visualizo...

MI FUTURO FINANCIERO

QUÉ QUIERO MANIFESTAR

QUÉ ME HARÍA FELIZ

RELACIONES PERSONALES

AFIRMACIONES

TÉCNICAS

3-6-9
Método de Manifestación

FECHA		AFIRMACIÓN	

ESCRIBE TU DECLARACIÓN DE LO QUE QUIERES LOGRAR Y REPÍTELA 3 VECES (MAÑANA)

1.
2.
3.

ESCRIBE TU INTENCIÓN AHORA 6 VECES (TARDE)

1.
2.
3.
4.
5.
6.

AHORA REPÍTELA 9 VECES (NOCHE)

1.
2.
3.
4.
5.
6.
7.
8.
9.

DIARIO DE
Gratitud

ME ESTOY ENFOCANDO EN:

☐ CORONA ☐ TERCER OJO ☐ PLEXO SOLAR ☐ SACRAL ☐ GARGANTA ☐ RAIZ ☐ CORAZON

Chakra

DOY GRACIAS POR:

AFIRMACIONES

Yo soy...

Yo soy...

Yo soy...

Yo soy...

Yo soy...

IDEAS

REFLEXIONES

ME SIENTO BENDECIDO(A) POR:

manifestar

[manifestar] verbo

[crear algo real a partir de tu imaginación, dejar y confiar
en que el universo va a atraer todo lo que deseas.]

Planificador de MANIFESTACIÓN

ESTOY MANIFESTANDO

Visualizo...

MI FUTURO FINANCIERO

QUÉ QUIERO MANIFESTAR

QUÉ ME HARÍA FELIZ

RELACIONES PERSONALES

AFIRMACIONES

TÉCNICAS

3-6-9
Método de Manifestación

FECHA		AFIRMACIÓN	

ESCRIBE TU DECLARACIÓN DE LO QUE QUIERES LOGRAR Y REPÍTELA 3 VECES (MAÑANA)

1
2
3

ESCRIBE TU INTENCIÓN AHORA 6 VECES (TARDE)

1
2
3
4
5
6

AHORA REPÍTELA 9 VECES (NOCHE)

1
2
3
4
5
6
7
8
9

DIARIO DE
Gratitud

ME ESTOY ENFOCANDO EN:

☐ CORONA ☐ TERCER OJO ☐ PLEXO SOLAR ☐ SACRAL ☐ GARGANTA ☐ RAIZ ☐ CORAZON

Chakra

DOY GRACIAS POR:

AFIRMACIONES

Yo soy...

Yo soy...

Yo soy...

Yo soy...

Yo soy...

IDEAS

REFLEXIONES

ME SIENTO BENDECIDO(A) POR:

manifestar

[manifestar] verbo

[crear algo real a partir de tu imaginación, dejar y confiar en que el universo va a atraer todo lo que deseas.]

Planificador de MANIFESTACIÓN

ESTOY MANIFESTANDO

Visualizo...

MI FUTURO FINANCIERO

QUÉ QUIERO MANIFESTAR

QUÉ ME HARÍA FELIZ

RELACIONES PERSONALES

AFIRMACIONES

TÉCNICAS

3-6-9
Método de Manifestación

FECHA		AFIRMACIÓN	

ESCRIBE TU DECLARACIÓN DE LO QUE QUIERES LOGRAR Y REPÍTELA 3 VECES (MAÑANA)

1
2
3

ESCRIBE TU INTENCIÓN AHORA 6 VECES (TARDE)

1
2
3
4
5
6

AHORA REPÍTELA 9 VECES (NOCHE)

1
2
3
4
5
6
7
8
9

DIARIO DE
Gratitud

ME ESTOY ENFOCANDO EN:

☐ CORONA ☐ TERCER OJO ☐ PLEXO SOLAR ☐ SACRAL ☐ GARGANTA ☐ RAIZ ☐ CORAZON

Chakra

DOY GRACIAS POR:

AFIRMACIONES

Yo soy...

Yo soy...

Yo soy...

Yo soy...

Yo soy...

IDEAS

REFLEXIONES

ME SIENTO BENDECIDO(A) POR:

manifestar

[manifestar] verbo

[crear algo real a partir de tu imaginación, dejar y confiar
en que el universo va a atraer todo lo que deseas.]

Planificador de
MANIFESTACIÓN

ESTOY MANIFESTANDO

Visualizo...

MI FUTURO FINANCIERO

QUÉ QUIERO MANIFESTAR

QUÉ ME HARÍA FELIZ

RELACIONES PERSONALES

AFIRMACIONES

TÉCNICAS

3-6-9

Método de Manifestación

FECHA		AFIRMACIÓN	

ESCRIBE TU DECLARACIÓN DE LO QUE QUIERES LOGRAR Y REPÍTELA 3 VECES (MAÑANA)

1
2
3

ESCRIBE TU INTENCIÓN AHORA 6 VECES (TARDE)

1
2
3
4
5
6

AHORA REPÍTELA 9 VECES (NOCHE)

1
2
3
4
5
6
7
8
9

DIARIO DE
Gratitud

ME ESTOY ENFOCANDO EN:

☐ CORONA ☐ TERCER OJO ☐ PLEXO SOLAR ☐ SACRAL ☐ GARGANTA ☐ RAIZ ☐ CORAZON

Chakra

DOY GRACIAS POR:

AFIRMACIONES

Yo soy...

Yo soy...

Yo soy...

Yo soy...

Yo soy...

IDEAS

REFLEXIONES

ME SIENTO BENDECIDO(A) POR:

manifestar

[manifestar] verbo

[crear algo real a partir de tu imaginación, dejar y confiar en que el universo va a atraer todo lo que deseas.]

Planificador de
MANIFESTACIÓN

ESTOY MANIFESTANDO

Visualizo...

MI FUTURO FINANCIERO

QUÉ ME HARÍA FELIZ

RELACIONES PERSONALES

QUÉ QUIERO MANIFESTAR

AFIRMACIONES

TÉCNICAS

3-6-9
Método de Manifestación

FECHA		AFIRMACIÓN	

ESCRIBE TU DECLARACIÓN DE LO QUE QUIERES LOGRAR Y REPÍTELA 3 VECES (MAÑANA)

1.
2.
3.

ESCRIBE TU INTENCIÓN AHORA 6 VECES (TARDE)

1.
2.
3.
4.
5.
6.

AHORA REPÍTELA 9 VECES (NOCHE)

1.
2.
3.
4.
5.
6.
7.
8.
9.

DIARIO DE
Gratitud

ME ESTOY ENFOCANDO EN:

☐ CORONA ☐ TERCER OJO ☐ PLEXO SOLAR ☐ SACRAL ☐ GARGANTA ☐ RAIZ ☐ CORAZON

Chakra

DOY GRACIAS POR:

AFIRMACIONES

Yo soy...

Yo soy...

Yo soy...

Yo soy...

Yo soy...

IDEAS

REFLEXIONES

ME SIENTO BENDECIDO(A) POR:

manifestar

[manifestar] verbo

[crear algo real a partir de tu imaginación, dejar y confiar
en que el universo va a atraer todo lo que deseas.]

Planificador de
MANIFESTACIÓN

ESTOY MANIFESTANDO

Visualizo...

MI FUTURO FINANCIERO

QUÉ QUIERO MANIFESTAR

QUÉ ME HARÍA FELIZ

RELACIONES PERSONALES

AFIRMACIONES

TÉCNICAS

3-6-9
Método de Manifestación

FECHA		AFIRMACIÓN	

ESCRIBE TU DECLARACIÓN DE LO QUE QUIERES LOGRAR Y REPÍTELA 3 VECES (MAÑANA)

1
2
3

ESCRIBE TU INTENCIÓN AHORA 6 VECES (TARDE)

1
2
3
4
5
6

AHORA REPÍTELA 9 VECES (NOCHE)

1
2
3
4
5
6
7
8
9

DIARIO DE
Gratitud

ME ESTOY ENFOCANDO EN:

☐ CORONA ☐ TERCER OJO ☐ PLEXO SOLAR ☐ SACRAL ☐ GARGANTA ☐ RAIZ ☐ CORAZON

Chakra

DOY GRACIAS POR:

AFIRMACIONES

Yo soy...

Yo soy...

Yo soy...

Yo soy...

Yo soy...

IDEAS

REFLEXIONES

ME SIENTO BENDECIDO(A) POR:

manifestar

[manifestar] verbo

[crear algo real a partir de tu imaginación, dejar y confiar en que el universo va a atraer todo lo que deseas.]

Planificador de
MANIFESTACIÓN

ESTOY MANIFESTANDO

Visualizo...

MI FUTURO FINANCIERO

QUÉ QUIERO MANIFESTAR

QUÉ ME HARÍA FELIZ

RELACIONES PERSONALES

AFIRMACIONES

TÉCNICAS

3-6-9
Método de Manifestación

FECHA		AFIRMACIÓN	

ESCRIBE TU DECLARACIÓN DE LO QUE QUIERES LOGRAR Y REPÍTELA 3 VECES (MAÑANA)

1.
2.
3.

ESCRIBE TU INTENCIÓN AHORA 6 VECES (TARDE)

1.
2.
3.
4.
5.
6.

AHORA REPÍTELA 9 VECES (NOCHE)

1.
2.
3.
4.
5.
6.
7.
8.
9.

DIARIO DE
Gratitud

☐ CORONA ☐ TERCER OJO ☐ PLEXO SOLAR ☐ SACRAL ☐ GARGANTA ☐ RAIZ ☐ CORAZON

Chakra

DOY GRACIAS POR:

AFIRMACIONES

Yo soy...

Yo soy...

Yo soy...

Yo soy...

Yo soy...

IDEAS

REFLEXIONES

ME SIENTO BENDECIDO(A) POR:

manifestar

[manifestar] verbo

[crear algo real a partir de tu imaginación, dejar y confiar
en que el universo va a atraer todo lo que deseas.]

Planificador de
MANIFESTACIÓN

ESTOY MANIFESTANDO

Visualizo...

MI FUTURO FINANCIERO

QUÉ QUIERO MANIFESTAR

QUÉ ME HARÍA FELIZ

RELACIONES PERSONALES

AFIRMACIONES

TÉCNICAS

3-6-9

Método de Manifestación

FECHA		AFIRMACIÓN	

ESCRIBE TU DECLARACIÓN DE LO QUE QUIERES LOGRAR Y REPÍTELA 3 VECES (MAÑANA)

1.
2.
3.

ESCRIBE TU INTENCIÓN AHORA 6 VECES (TARDE)

1.
2.
3.
4.
5.
6.

AHORA REPÍTELA 9 VECES (NOCHE)

1.
2.
3.
4.
5.
6.
7.
8.
9.

DIARIO DE
Gratitud

ME ESTOY ENFOCANDO EN:

☐ CORONA ☐ TERCER OJO ☐ PLEXO SOLAR ☐ SACRAL ☐ GARGANTA ☐ RAIZ ☐ CORAZON

Chakra

DOY GRACIAS POR:

AFIRMACIONES

Yo soy...

Yo soy...

Yo soy...

Yo soy...

Yo soy...

IDEAS

REFLEXIONES

ME SIENTO BENDECIDO(A) POR:

manifestar

[manifestar] verbo

[crear algo real a partir de tu imaginación, dejar y confiar
en que el universo va a atraer todo lo que deseas.]

Planificador de
MANIFESTACIÓN

ESTOY MANIFESTANDO

Visualizo...

MI FUTURO FINANCIERO

QUÉ ME HARÍA FELIZ

RELACIONES PERSONALES

QUÉ QUIERO MANIFESTAR

AFIRMACIONES

TÉCNICAS

3-6-9
Método de Manifestación

FECHA		AFIRMACIÓN	

ESCRIBE TU DECLARACIÓN DE LO QUE QUIERES LOGRAR Y REPÍTELA 3 VECES (MAÑANA)

1
2
3

ESCRIBE TU INTENCIÓN AHORA 6 VECES (TARDE)

1
2
3
4
5
6

AHORA REPÍTELA 9 VECES (NOCHE)

1
2
3
4
5
6
7
8
9

DIARIO DE
Gratitud

ME ESTOY ENFOCANDO EN:

☐ CORONA ☐ TERCER OJO ☐ PLEXO SOLAR ☐ SACRAL ☐ GARGANTA ☐ RAIZ ☐ CORAZON

Chakra

DOY GRACIAS POR:

AFIRMACIONES

Yo soy...

Yo soy...

Yo soy...

Yo soy...

Yo soy...

IDEAS

REFLEXIONES

ME SIENTO BENDECIDO(A) POR:

manifestar

[manifestar] verbo

[crear algo real a partir de tu imaginación, dejar y confiar en que el universo va a atraer todo lo que deseas.]

Planificador de
MANIFESTACIÓN

ESTOY MANIFESTANDO

Visualizo...

MI FUTURO FINANCIERO

QUÉ QUIERO MANIFESTAR

QUÉ ME HARÍA FELIZ

RELACIONES PERSONALES

AFIRMACIONES

TÉCNICAS

3-6-9
Método de Manifestación

FECHA		AFIRMACIÓN	

ESCRIBE TU DECLARACIÓN DE LO QUE QUIERES LOGRAR Y REPÍTELA 3 VECES (MAÑANA)

1.
2.
3.

ESCRIBE TU INTENCIÓN AHORA 6 VECES (TARDE)

1.
2.
3.
4.
5.
6.

AHORA REPÍTELA 9 VECES (NOCHE)

1.
2.
3.
4.
5.
6.
7.
8.
9.

DIARIO DE
Gratitud

ME ESTOY ENFOCANDO EN:

☐ CORONA ☐ TERCER OJO ☐ PLEXO SOLAR ☐ SACRAL ☐ GARGANTA ☐ RAIZ ☐ CORAZON

Chakra

DOY GRACIAS POR:

AFIRMACIONES

Yo soy...

Yo soy...

Yo soy...

Yo soy...

Yo soy...

IDEAS

REFLEXIONES

ME SIENTO BENDECIDO(A) POR:

manifestar

[manifestar] verbo

[crear algo real a partir de tu imaginación, dejar y confiar en que el universo va a atraer todo lo que deseas.]

Planificador de MANIFESTACIÓN

ESTOY MANIFESTANDO

Visualizo...

MI FUTURO FINANCIERO

QUÉ QUIERO MANIFESTAR

QUÉ ME HARÍA FELIZ

RELACIONES PERSONALES

AFIRMACIONES

TÉCNICAS

3-6-9
Método de Manifestación

FECHA		AFIRMACIÓN	

ESCRIBE TU DECLARACIÓN DE LO QUE QUIERES LOGRAR Y REPÍTELA 3 VECES (MAÑANA)

1.
2.
3.

ESCRIBE TU INTENCIÓN AHORA 6 VECES (TARDE)

1.
2.
3.
4.
5.
6.

AHORA REPÍTELA 9 VECES (NOCHE)

1.
2.
3.
4.
5.
6.
7.
8.
9.

DIARIO DE
Gratitud

ME ESTOY ENFOCANDO EN:

☐ CORONA ☐ TERCER OJO ☐ PLEXO SOLAR ☐ SACRAL ☐ GARGANTA ☐ RAIZ ☐ CORAZON

Chakra

DOY GRACIAS POR:

AFIRMACIONES

Yo soy...

Yo soy...

Yo soy...

Yo soy...

Yo soy...

IDEAS

REFLEXIONES

ME SIENTO BENDECIDO(A) POR:

manifestar

[manifestar] verbo

[crear algo real a partir de tu imaginación, dejar y confiar
en que el universo va a atraer todo lo que deseas.]

Planificador de
MANIFESTACIÓN

ESTOY MANIFESTANDO

Visualizo...

MI FUTURO FINANCIERO

QUÉ ME HARÍA FELIZ

RELACIONES PERSONALES

QUÉ QUIERO MANIFESTAR

AFIRMACIONES

TÉCNICAS

3-6-9

Método de Manifestación

FECHA		AFIRMACIÓN	

ESCRIBE TU DECLARACIÓN DE LO QUE QUIERES LOGRAR Y REPÍTELA 3 VECES (MAÑANA)

1

2

3

ESCRIBE TU INTENCIÓN AHORA 6 VECES (TARDE)

1

2

3

4

5

6

AHORA REPÍTELA 9 VECES (NOCHE)

1

2

3

4

5

6

7

8

9

DIARIO DE
Gratitud

ME ESTOY ENFOCANDO EN:

☐ CORONA ☐ TERCER OJO ☐ PLEXO SOLAR ☐ SACRAL ☐ GARGANTA ☐ RAIZ ☐ CORAZON

Chakra

DOY GRACIAS POR:

AFIRMACIONES

Yo soy...

Yo soy...

Yo soy...

Yo soy...

Yo soy...

IDEAS

REFLEXIONES

ME SIENTO BENDECIDO(A) POR:

manifestar

[manifestar] verbo

[crear algo real a partir de tu imaginación, dejar y confiar
en que el universo va a atraer todo lo que deseas.]

Planificador de
MANIFESTACIÓN

ESTOY MANIFESTANDO

Visualizo...

MI FUTURO FINANCIERO

QUÉ QUIERO MANIFESTAR

QUÉ ME HARÍA FELIZ

RELACIONES PERSONALES

AFIRMACIONES

TÉCNICAS

3-6-9
Método de Manifestación

FECHA		AFIRMACIÓN	

ESCRIBE TU DECLARACIÓN DE LO QUE QUIERES LOGRAR Y REPÍTELA 3 VECES (MAÑANA)

1
2
3

ESCRIBE TU INTENCIÓN AHORA 6 VECES (TARDE)

1
2
3
4
5
6

AHORA REPÍTELA 9 VECES (NOCHE)

1
2
3
4
5
6
7
8
9

DIARIO DE
Gratitud

DOY GRACIAS POR:

AFIRMACIONES

Yo soy...

Yo soy...

Yo soy...

Yo soy...

Yo soy...

IDEAS

REFLEXIONES

ME SIENTO BENDECIDO(A) POR:

manifestar

[manifestar] verbo

[crear algo real a partir de tu imaginación, dejar y confiar en que el universo va a atraer todo lo que deseas.]

Planificador de
MANIFESTACIÓN

ESTOY MANIFESTANDO

Visualizo...

MI FUTURO FINANCIERO

QUÉ ME HARÍA FELIZ

RELACIONES PERSONALES

QUÉ QUIERO MANIFESTAR

AFIRMACIONES

TÉCNICAS

3-6-9
Método de Manifestación

FECHA		AFIRMACIÓN	

ESCRIBE TU DECLARACIÓN DE LO QUE QUIERES LOGRAR Y REPÍTELA 3 VECES (MAÑANA)

1.
2.
3.

ESCRIBE TU INTENCIÓN AHORA 6 VECES (TARDE)

1.
2.
3.
4.
5.
6.

AHORA REPÍTELA 9 VECES (NOCHE)

1.
2.
3.
4.
5.
6.
7.
8.
9.

DIARIO DE
Gratitud

ME ESTOY ENFOCANDO EN:

☐ CORONA ☐ TERCER OJO ☐ PLEXO SOLAR ☐ SACRAL ☐ GARGANTA ☐ RAIZ ☐ CORAZON

Chakra

DOY GRACIAS POR:

AFIRMACIONES

Yo soy...

Yo soy...

Yo soy...

Yo soy...

Yo soy...

IDEAS

REFLEXIONES

ME SIENTO BENDECIDO(A) POR:

manifestar
[manifestar] verbo
[crear algo real a partir de tu imaginación, dejar y confiar
en que el universo va a atraer todo lo que deseas.]

Planificador de MANIFESTACIÓN

ESTOY MANIFESTANDO

Visualizo...

MI FUTURO FINANCIERO

QUÉ ME HARÍA FELIZ

RELACIONES PERSONALES

QUÉ QUIERO MANIFESTAR

AFIRMACIONES

TÉCNICAS

3-6-9

Método de Manifestación

FECHA		AFIRMACIÓN	

ESCRIBE TU DECLARACIÓN DE LO QUE QUIERES LOGRAR Y REPÍTELA 3 VECES (MAÑANA)

1.
2.
3.

ESCRIBE TU INTENCIÓN AHORA 6 VECES (TARDE)

1.
2.
3.
4.
5.
6.

AHORA REPÍTELA 9 VECES (NOCHE)

1.
2.
3.
4.
5.
6.
7.
8.
9.

DIARIO DE
Gratitud

ME ESTOY ENFOCANDO EN:

☐ CORONA ☐ TERCER OJO ☐ PLEXO SOLAR ☐ SACRAL ☐ GARGANTA ☐ RAIZ ☐ CORAZON

Chakra

DOY GRACIAS POR:

AFIRMACIONES

Yo soy...

Yo soy...

Yo soy...

Yo soy...

Yo soy...

IDEAS

REFLEXIONES

ME SIENTO BENDECIDO(A) POR:

manifestar

[manifestar] verbo

[crear algo real a partir de tu imaginación, dejar y confiar en que el universo va a atraer todo lo que deseas.]

Planificador de
MANIFESTACIÓN

ESTOY MANIFESTANDO

Visualizo...

MI FUTURO FINANCIERO

QUÉ QUIERO MANIFESTAR

QUÉ ME HARÍA FELIZ

RELACIONES PERSONALES

AFIRMACIONES

TÉCNICAS

3-6-9
Método de Manifestación

FECHA		AFIRMACIÓN	

ESCRIBE TU DECLARACIÓN DE LO QUE QUIERES LOGRAR Y REPÍTELA 3 VECES (MAÑANA)

1	
2	
3	

ESCRIBE TU INTENCIÓN AHORA 6 VECES (TARDE)

1	
2	
3	
4	
5	
6	

AHORA REPÍTELA 9 VECES (NOCHE)

1	
2	
3	
4	
5	
6	
7	
8	
9	

DIARIO DE
Gratitud

ME ESTOY ENFOCANDO EN:

☐ CORONA ☐ TERCER OJO ☐ PLEXO SOLAR ☐ SACRAL ☐ GARGANTA ☐ RAIZ ☐ CORAZON

Chakra

DOY GRACIAS POR:

AFIRMACIONES

Yo soy...

Yo soy...

Yo soy...

Yo soy...

Yo soy...

IDEAS

REFLEXIONES

ME SIENTO BENDECIDO(A) POR:

manifestar

[manifestar] verbo

[crear algo real a partir de tu imaginación, dejar y confiar
en que el universo va a atraer todo lo que deseas.]

Planificador de MANIFESTACIÓN

ESTOY MANIFESTANDO

Visualizo...

MI FUTURO FINANCIERO

QUÉ QUIERO MANIFESTAR

QUÉ ME HARÍA FELIZ

RELACIONES PERSONALES

AFIRMACIONES

TÉCNICAS

3-6-9

Método de Manifestación

FECHA		AFIRMACIÓN	

ESCRIBE TU DECLARACIÓN DE LO QUE QUIERES LOGRAR Y REPÍTELA 3 VECES (MAÑANA)

1
2
3

ESCRIBE TU INTENCIÓN AHORA 6 VECES (TARDE)

1
2
3
4
5
6

AHORA REPÍTELA 9 VECES (NOCHE)

1
2
3
4
5
6
7
8
9

DIARIO DE
Gratitud

☐ CORONA ☐ TERCER OJO ☐ PLEXO SOLAR ☐ SACRAL ☐ GARGANTA ☐ RAIZ ☐ CORAZON

Chakra

DOY GRACIAS POR:

AFIRMACIONES

Yo soy...

Yo soy...

Yo soy...

Yo soy...

Yo soy...

IDEAS

REFLEXIONES

ME SIENTO BENDECIDO(A) POR:

manifestar

[manifestar] verbo

[crear algo real a partir de tu imaginación, dejar y confiar
en que el universo va a atraer todo lo que deseas.]

Planificador de
MANIFESTACIÓN

ESTOY MANIFESTANDO

Visualizo...

MI FUTURO FINANCIERO

QUÉ QUIERO MANIFESTAR

QUÉ ME HARÍA FELIZ

RELACIONES PERSONALES

AFIRMACIONES

TÉCNICAS

3-6-9

Método de Manifestación

FECHA		AFIRMACIÓN	

ESCRIBE TU DECLARACIÓN DE LO QUE QUIERES LOGRAR Y REPÍTELA 3 VECES (MAÑANA)

1
2
3

ESCRIBE TU INTENCIÓN AHORA 6 VECES (TARDE)

1
2
3
4
5
6

AHORA REPÍTELA 9 VECES (NOCHE)

1
2
3
4
5
6
7
8
9

DIARIO DE
Gratitud

ME ESTOY ENFOCANDO EN:

☐ CORONA ☐ TERCER OJO ☐ PLEXO SOLAR ☐ SACRAL ☐ GARGANTA ☐ RAIZ ☐ CORAZON

Chakra

DOY GRACIAS POR:

AFIRMACIONES

Yo soy...

Yo soy...

Yo soy...

Yo soy...

Yo soy...

IDEAS

REFLEXIONES

ME SIENTO BENDECIDO(A) POR:

manifestar
[manifestar] verbo
[crear algo real a partir de tu imaginación, dejar y confiar
en que el universo va a atraer todo lo que deseas.]

Planificador de MANIFESTACIÓN

ESTOY MANIFESTANDO

Visualizo...

MI FUTURO FINANCIERO

QUÉ QUIERO MANIFESTAR

QUÉ ME HARÍA FELIZ

RELACIONES PERSONALES

AFIRMACIONES

TÉCNICAS

3-6-9

Método de Manifestación

FECHA		AFIRMACIÓN	

ESCRIBE TU DECLARACIÓN DE LO QUE QUIERES LOGRAR Y REPÍTELA 3 VECES (MAÑANA)

1.
2.
3.

ESCRIBE TU INTENCIÓN AHORA 6 VECES (TARDE)

1.
2.
3.
4.
5.
6.

AHORA REPÍTELA 9 VECES (NOCHE)

1.
2.
3.
4.
5.
6.
7.
8.
9.

DIARIO DE
Gratitud

ME ESTOY ENFOCANDO EN:

☐ CORONA ☐ TERCER OJO ☐ PLEXO SOLAR ☐ SACRAL ☐ GARGANTA ☐ RAIZ ☐ CORAZON

Chakra

DOY GRACIAS POR:

AFIRMACIONES

Yo soy...

Yo soy...

Yo soy...

Yo soy...

Yo soy...

IDEAS

REFLEXIONES

ME SIENTO BENDECIDO(A) POR:

manifestar
[manifestar] verbo
[crear algo real a partir de tu imaginación, dejar y confiar
en que el universo va a atraer todo lo que deseas.]

Planificador de
MANIFESTACIÓN

ESTOY MANIFESTANDO

Visualizo...

MI FUTURO FINANCIERO

QUÉ QUIERO MANIFESTAR

QUÉ ME HARÍA FELIZ

RELACIONES PERSONALES

AFIRMACIONES

TÉCNICAS

3-6-9

Método de Manifestación

FECHA		AFIRMACIÓN	

ESCRIBE TU DECLARACIÓN DE LO QUE QUIERES LOGRAR Y REPÍTELA 3 VECES (MAÑANA)

1.
2.
3.

ESCRIBE TU INTENCIÓN AHORA 6 VECES (TARDE)

1.
2.
3.
4.
5.
6.

AHORA REPÍTELA 9 VECES (NOCHE)

1.
2.
3.
4.
5.
6.
7.
8.
9.

DIARIO DE
Gratitud

ME ESTOY ENFOCANDO EN:

☐ CORONA ☐ TERCER OJO ☐ PLEXO SOLAR ☐ SACRAL ☐ GARGANTA ☐ RAIZ ☐ CORAZON

Chakra

DOY GRACIAS POR:

AFIRMACIONES

Yo soy...

Yo soy...

Yo soy...

Yo soy...

Yo soy...

IDEAS

REFLEXIONES

ME SIENTO BENDECIDO(A) POR:

manifestar

[manifestar] verbo

[crear algo real a partir de tu imaginación, dejar y confiar en que el universo va a atraer todo lo que deseas.]

Planificador de
MANIFESTACIÓN

ESTOY MANIFESTANDO

Visualizo...

MI FUTURO FINANCIERO

QUÉ QUIERO MANIFESTAR

QUÉ ME HARÍA FELIZ

RELACIONES PERSONALES

AFIRMACIONES

TÉCNICAS

3-6-9
Método de Manifestación

FECHA		AFIRMACIÓN	

ESCRIBE TU DECLARACIÓN DE LO QUE QUIERES LOGRAR Y REPÍTELA 3 VECES (MAÑANA)

1.
2.
3.

ESCRIBE TU INTENCIÓN AHORA 6 VECES (TARDE)

1.
2.
3.
4.
5.
6.

AHORA REPÍTELA 9 VECES (NOCHE)

1.
2.
3.
4.
5.
6.
7.
8.
9.

DIARIO DE
Gratitud

ME ESTOY ENFOCANDO EN:

☐ CORONA ☐ TERCER OJO ☐ PLEXO SOLAR ☐ SACRAL ☐ GARGANTA ☐ RAIZ ☐ CORAZON

Chakra

DOY GRACIAS POR:

AFIRMACIONES

Yo soy...

Yo soy...

Yo soy...

Yo soy...

Yo soy...

IDEAS

REFLEXIONES

ME SIENTO BENDECIDO(A) POR:

manifestar

[manifestar] verbo

[crear algo real a partir de tu imaginación, dejar y confiar en que el universo va a atraer todo lo que deseas.]

Planificador de
MANIFESTACIÓN

ESTOY MANIFESTANDO

Visualizo...

MI FUTURO FINANCIERO

QUÉ QUIERO MANIFESTAR

QUÉ ME HARÍA FELIZ

RELACIONES PERSONALES

AFIRMACIONES

TÉCNICAS

3-6-9
Método de Manifestación

FECHA		AFIRMACIÓN	

ESCRIBE TU DECLARACIÓN DE LO QUE QUIERES LOGRAR Y REPÍTELA 3 VECES (MAÑANA)

1
2
3

ESCRIBE TU INTENCIÓN AHORA 6 VECES (TARDE)

1
2
3
4
5
6

AHORA REPÍTELA 9 VECES (NOCHE)

1
2
3
4
5
6
7
8
9

DIARIO DE
Gratitud

ME ESTOY ENFOCANDO EN:

☐ CORONA ☐ TERCER OJO ☐ PLEXO SOLAR ☐ SACRAL ☐ GARGANTA ☐ RAIZ ☐ CORAZON

Chakra

DOY GRACIAS POR:

AFIRMACIONES

Yo soy...

Yo soy...

Yo soy...

Yo soy...

Yo soy...

IDEAS

REFLEXIONES

ME SIENTO BENDECIDO(A) POR:

manifestar

[manifestar] verbo

[crear algo real a partir de tu imaginación, dejar y confiar en que el universo va a atraer todo lo que deseas.]

Planificador de
MANIFESTACIÓN

ESTOY MANIFESTANDO

Visualizo...

MI FUTURO FINANCIERO

QUÉ ME HARÍA FELIZ

RELACIONES PERSONALES

QUÉ QUIERO MANIFESTAR

AFIRMACIONES

TÉCNICAS

3-6-9
Método de Manifestación

FECHA		AFIRMACIÓN	

ESCRIBE TU DECLARACIÓN DE LO QUE QUIERES LOGRAR Y REPÍTELA 3 VECES (MAÑANA)

1.
2.
3.

ESCRIBE TU INTENCIÓN AHORA 6 VECES (TARDE)

1.
2.
3.
4.
5.
6.

AHORA REPÍTELA 9 VECES (NOCHE)

1.
2.
3.
4.
5.
6.
7.
8.
9.

DIARIO DE
Gratitud

ME ESTOY ENFOCANDO EN:

☐ CORONA ☐ TERCER OJO ☐ PLEXO SOLAR ☐ SACRAL ☐ GARGANTA ☐ RAIZ ☐ CORAZON

Chakra

DOY GRACIAS POR:

AFIRMACIONES

Yo soy...

Yo soy...

Yo soy...

Yo soy...

Yo soy...

IDEAS

REFLEXIONES

ME SIENTO BENDECIDO(A) POR:

manifestar

[manifestar] verbo

[crear algo real a partir de tu imaginación, dejar y confiar en que el universo va a atraer todo lo que deseas.]

Planificador de
MANIFESTACIÓN

ESTOY MANIFESTANDO

Visualizo...

MI FUTURO FINANCIERO

QUÉ QUIERO MANIFESTAR

QUÉ ME HARÍA FELIZ

RELACIONES PERSONALES

AFIRMACIONES

TÉCNICAS

3-6-9

Método de Manifestación

FECHA		AFIRMACIÓN	

ESCRIBE TU DECLARACIÓN DE LO QUE QUIERES LOGRAR Y REPÍTELA 3 VECES (MAÑANA)

1.
2.
3.

ESCRIBE TU INTENCIÓN AHORA 6 VECES (TARDE)

1.
2.
3.
4.
5.
6.

AHORA REPÍTELA 9 VECES (NOCHE)

1.
2.
3.
4.
5.
6.
7.
8.
9.

DIARIO DE
Gratitud

ME ESTOY ENFOCANDO EN:

☐ CORONA ☐ TERCER OJO ☐ PLEXO SOLAR ☐ SACRAL ☐ GARGANTA ☐ RAIZ ☐ CORAZON

Chakra

DOY GRACIAS POR:

AFIRMACIONES

Yo soy...

Yo soy...

Yo soy...

Yo soy...

Yo soy...

IDEAS

REFLEXIONES

ME SIENTO BENDECIDO(A) POR:

manifestar

[manifestar] verbo

[crear algo real a partir de tu imaginación, dejar y confiar en que el universo va a atraer todo lo que deseas.]

Planificador de MANIFESTACIÓN

ESTOY MANIFESTANDO

Visualizo...

MI FUTURO FINANCIERO

QUÉ QUIERO MANIFESTAR

QUÉ ME HARÍA FELIZ

RELACIONES PERSONALES

AFIRMACIONES

TÉCNICAS

3-6-9
Método de Manifestación

FECHA		AFIRMACIÓN	

ESCRIBE TU DECLARACIÓN DE LO QUE QUIERES LOGRAR Y REPÍTELA 3 VECES (MAÑANA)

1
2
3

ESCRIBE TU INTENCIÓN AHORA 6 VECES (TARDE)

1
2
3
4
5
6

AHORA REPÍTELA 9 VECES (NOCHE)

1
2
3
4
5
6
7
8
9

DIARIO DE
Gratitud

ME ESTOY ENFOCANDO EN:

☐ CORONA ☐ TERCER OJO ☐ PLEXO SOLAR ☐ SACRAL ☐ GARGANTA ☐ RAIZ ☐ CORAZON

Chakra

DOY GRACIAS POR:

AFIRMACIONES

Yo soy...

Yo soy...

Yo soy...

Yo soy...

Yo soy...

IDEAS

REFLEXIONES

ME SIENTO BENDECIDO(A) POR:

manifestar

[manifestar] verbo

[crear algo real a partir de tu imaginación, dejar y confiar
en que el universo va a atraer todo lo que deseas.]

Planificador de
MANIFESTACIÓN

ESTOY MANIFESTANDO

Visualizo...

MI FUTURO FINANCIERO

QUÉ QUIERO MANIFESTAR

QUÉ ME HARÍA FELIZ

RELACIONES PERSONALES

AFIRMACIONES

TÉCNICAS

3-6-9
Método de Manifestación

FECHA		AFIRMACIÓN	

ESCRIBE TU DECLARACIÓN DE LO QUE QUIERES LOGRAR Y REPÍTELA 3 VECES (MAÑANA)

1.
2.
3.

ESCRIBE TU INTENCIÓN AHORA 6 VECES (TARDE)

1.
2.
3.
4.
5.
6.

AHORA REPÍTELA 9 VECES (NOCHE)

1.
2.
3.
4.
5.
6.
7.
8.
9.

DIARIO DE
Gratitud

ME ESTOY ENFOCANDO EN:

☐ CORONA ☐ TERCER OJO ☐ PLEXO SOLAR ☐ SACRAL ☐ GARGANTA ☐ RAIZ ☐ CORAZON

Chakra

DOY GRACIAS POR:

AFIRMACIONES

Yo soy...

Yo soy...

Yo soy...

Yo soy...

Yo soy...

IDEAS

REFLEXIONES

ME SIENTO BENDECIDO(A) POR:

manifestar
[manifestar] verbo
[crear algo real a partir de tu imaginación, dejar y confiar
en que el universo va a atraer todo lo que deseas.]

Planificador de
MANIFESTACIÓN

ESTOY MANIFESTANDO

Visualizo...

MI FUTURO FINANCIERO

QUÉ QUIERO MANIFESTAR

QUÉ ME HARÍA FELIZ

RELACIONES PERSONALES

AFIRMACIONES

TÉCNICAS

3-6-9

Método de Manifestación

FECHA		AFIRMACIÓN	

ESCRIBE TU DECLARACIÓN DE LO QUE QUIERES LOGRAR Y REPÍTELA 3 VECES (MAÑANA)

1
2
3

ESCRIBE TU INTENCIÓN AHORA 6 VECES (TARDE)

1
2
3
4
5
6

AHORA REPÍTELA 9 VECES (NOCHE)

1
2
3
4
5
6
7
8
9

DIARIO DE
Gratitud

ME ESTOY ENFOCANDO EN:

☐ CORONA ☐ TERCER OJO ☐ PLEXO SOLAR ☐ SACRAL ☐ GARGANTA ☐ RAIZ ☐ CORAZON

Chakra

DOY GRACIAS POR:

AFIRMACIONES

Yo soy...

Yo soy...

Yo soy...

Yo soy...

Yo soy...

IDEAS

REFLEXIONES

ME SIENTO BENDECIDO(A) POR:

manifestar
[manifestar] verbo
[crear algo real a partir de tu imaginación, dejar y confiar
en que el universo va a atraer todo lo que deseas.]

Planificador de
MANIFESTACIÓN

ESTOY MANIFESTANDO

Visualizo...

MI FUTURO FINANCIERO

QUÉ QUIERO MANIFESTAR

QUÉ ME HARÍA FELIZ

RELACIONES PERSONALES

AFIRMACIONES

TÉCNICAS

3-6-9
Método de Manifestación

FECHA		AFIRMACIÓN	

ESCRIBE TU DECLARACIÓN DE LO QUE QUIERES LOGRAR Y REPÍTELA 3 VECES (MAÑANA)

1
2
3

ESCRIBE TU INTENCIÓN AHORA 6 VECES (TARDE)

1
2
3
4
5
6

AHORA REPÍTELA 9 VECES (NOCHE)

1
2
3
4
5
6
7
8
9

DIARIO DE
Gratitud

ME ESTOY ENFOCANDO EN:

☐ CORONA ☐ TERCER OJO ☐ PLEXO SOLAR ☐ SACRAL ☐ GARGANTA ☐ RAIZ ☐ CORAZON

Chakra

DOY GRACIAS POR:

AFIRMACIONES

Yo soy...

Yo soy...

Yo soy...

Yo soy...

Yo soy...

IDEAS

REFLEXIONES

ME SIENTO BENDECIDO(A) POR:

manifestar
[manifestar] verbo
[crear algo real a partir de tu imaginación, dejar y confiar
en que el universo va a atraer todo lo que deseas.]

Planificador de
MANIFESTACIÓN

ESTOY MANIFESTANDO

Visualizo...

MI FUTURO FINANCIERO	QUÉ ME HARÍA FELIZ	RELACIONES PERSONALES

QUÉ QUIERO MANIFESTAR

AFIRMACIONES

TÉCNICAS

3-6-9
Método de Manifestación

FECHA		AFIRMACIÓN	

ESCRIBE TU DECLARACIÓN DE LO QUE QUIERES LOGRAR Y REPÍTELA 3 VECES (MAÑANA)

1.
2.
3.

ESCRIBE TU INTENCIÓN AHORA 6 VECES (TARDE)

1.
2.
3.
4.
5.
6.

AHORA REPÍTELA 9 VECES (NOCHE)

1.
2.
3.
4.
5.
6.
7.
8.
9.

DIARIO DE
Gratitud

ME ESTOY ENFOCANDO EN:

☐ CORONA ☐ TERCER OJO ☐ PLEXO SOLAR ☐ SACRAL ☐ GARGANTA ☐ RAIZ ☐ CORAZON

Chakra

DOY GRACIAS POR:

AFIRMACIONES

Yo soy...

Yo soy...

Yo soy...

Yo soy...

Yo soy...

IDEAS

REFLEXIONES

ME SIENTO BENDECIDO(A) POR:

manifestar

[manifestar] verbo

[crear algo real a partir de tu imaginación, dejar y confiar
en que el universo va a atraer todo lo que deseas.]

Planificador de
MANIFESTACIÓN

ESTOY MANIFESTANDO

Visualizo...

MI FUTURO FINANCIERO

QUÉ ME HARÍA FELIZ

RELACIONES PERSONALES

QUÉ QUIERO MANIFESTAR

AFIRMACIONES

TÉCNICAS

3-6-9

Método de Manifestación

FECHA		AFIRMACIÓN	

ESCRIBE TU DECLARACIÓN DE LO QUE QUIERES LOGRAR Y REPÍTELA 3 VECES (MAÑANA)

1.
2.
3.

ESCRIBE TU INTENCIÓN AHORA 6 VECES (TARDE)

1.
2.
3.
4.
5.
6.

AHORA REPÍTELA 9 VECES (NOCHE)

1.
2.
3.
4.
5.
6.
7.
8.
9.

Made in United States
Orlando, FL
19 February 2023